# MIMI TUTU

# Le secret
# très secret

# À Colleen

Publié initialement aux États-Unis et au Canada par Disney • Hyperion sous le titre
*BALLET CAT, THE TOTALLY SECRET SECRET*
Cette traduction en français est publiée en vertu d'une entente avec Disney • Hyperion Books.

Catalogage avant publication de Bibliothèque et Archives Canada
Shea, Bob
[Ballet Cat, the totally secret secret. Français]
Mimi Tutu : le secret très secret / Bob Shea ; texte français d'Hélène Pilotto.
Traduction de : Ballet Cat, the totally secret secret.
ISBN 978-1-4431-5325-6 (couverture souple)
I. Titre. II. Titre: Ballet Cat, the totally secret secret. Français.
PZ23.S4853Mis 2016          j813'.6          C2015-907428-2

Édition publiée par les Éditions Scholastic, 604, rue King Ouest, Toronto (Ontario)  M5V 1E1
avec la permission de Disney • Hyperion.

5 4 3 2 1     Imprimé en Chine  38     16 17 18 19 20

# MIMI TUTU

# Le secret très secret

## Bob Shea

**Texte français d'Hélène Pilotto**

**Éditions**
**SCHOLASTIC**

Oh... mais on risque de renverser le damier en bondissant.

**Attends.**
La limonade va gicler
quand on va virevolter.

Du ballet, peut-être?

Excellente idée, Galopin.
Où es-tu allé chercher ça?
On fait du ballet
tous les jours, Mimi.
Ah, d'accord!

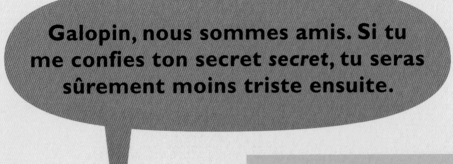

# Parfois, je n'ai pas envie de faire du ballet!

# Ça y est, je l'ai dit!

Le ballet est ce que tu aimes le plus au monde. Tu ne voudras plus être mon amie maintenant.

Je suis désolé, Mimi. Je ne suis pas un poney, je suis un casse-pieds.

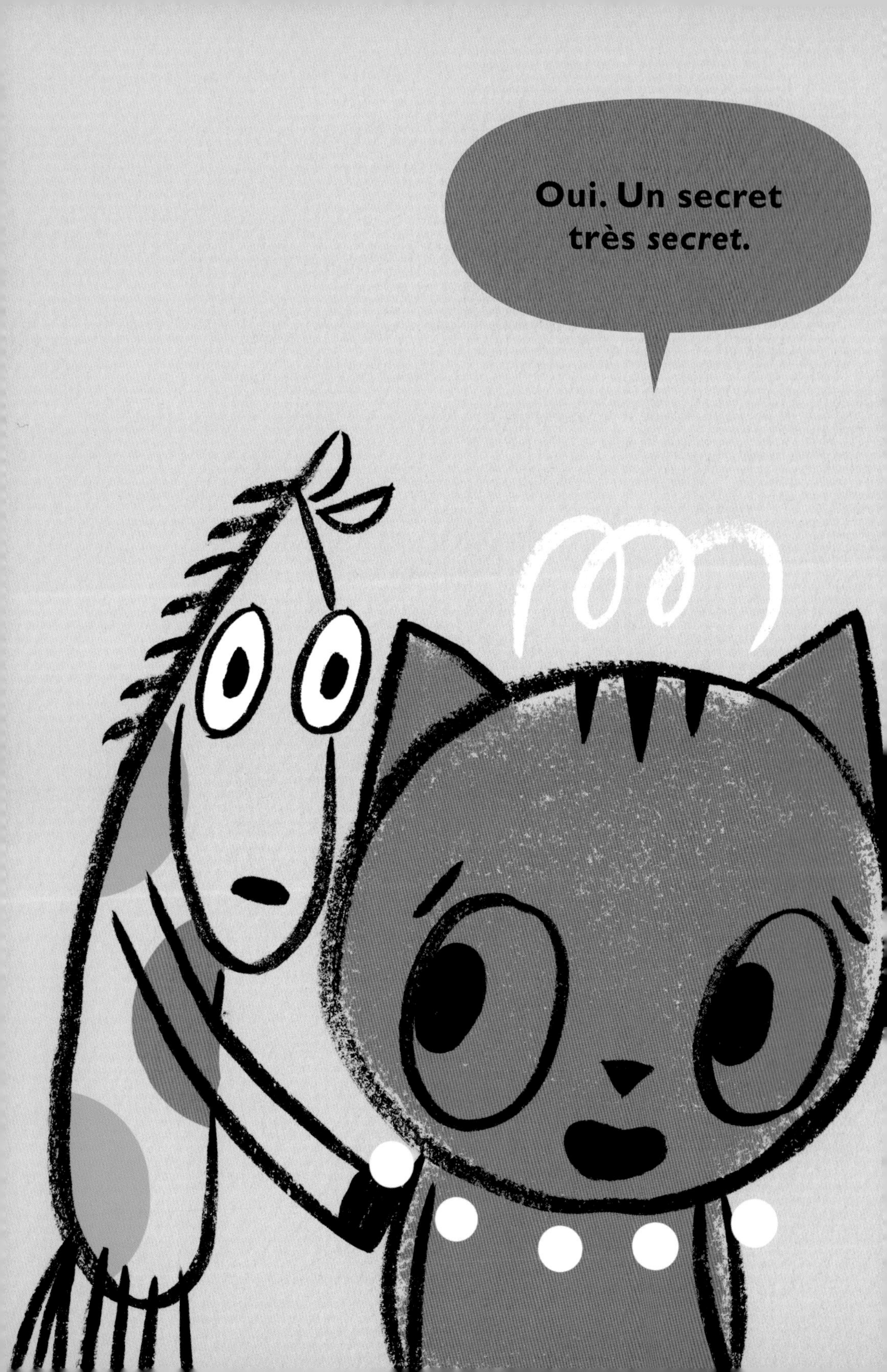
Oui. Un secret très *secret*.

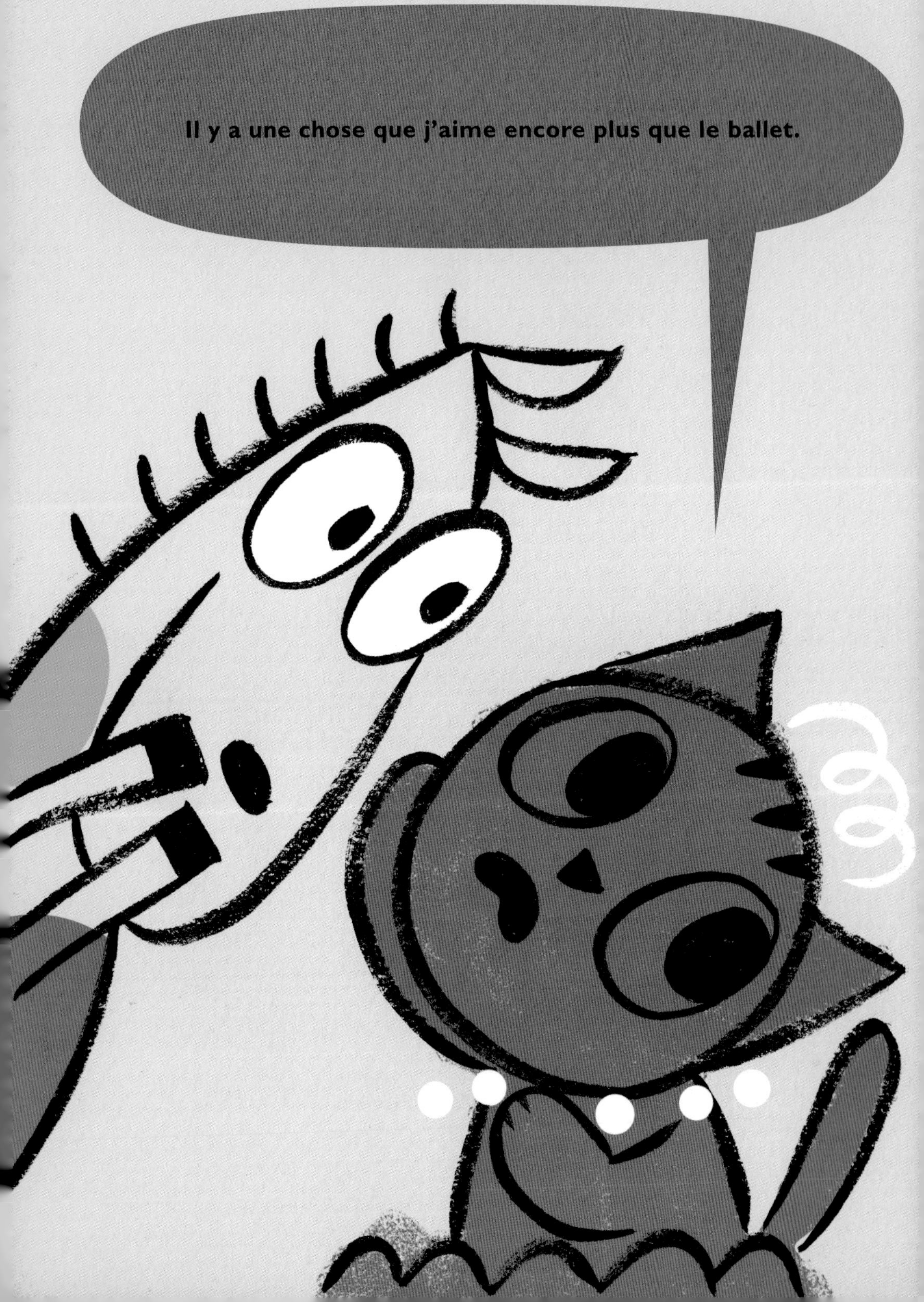
Il y a une chose que j’aime encore plus que le ballet.

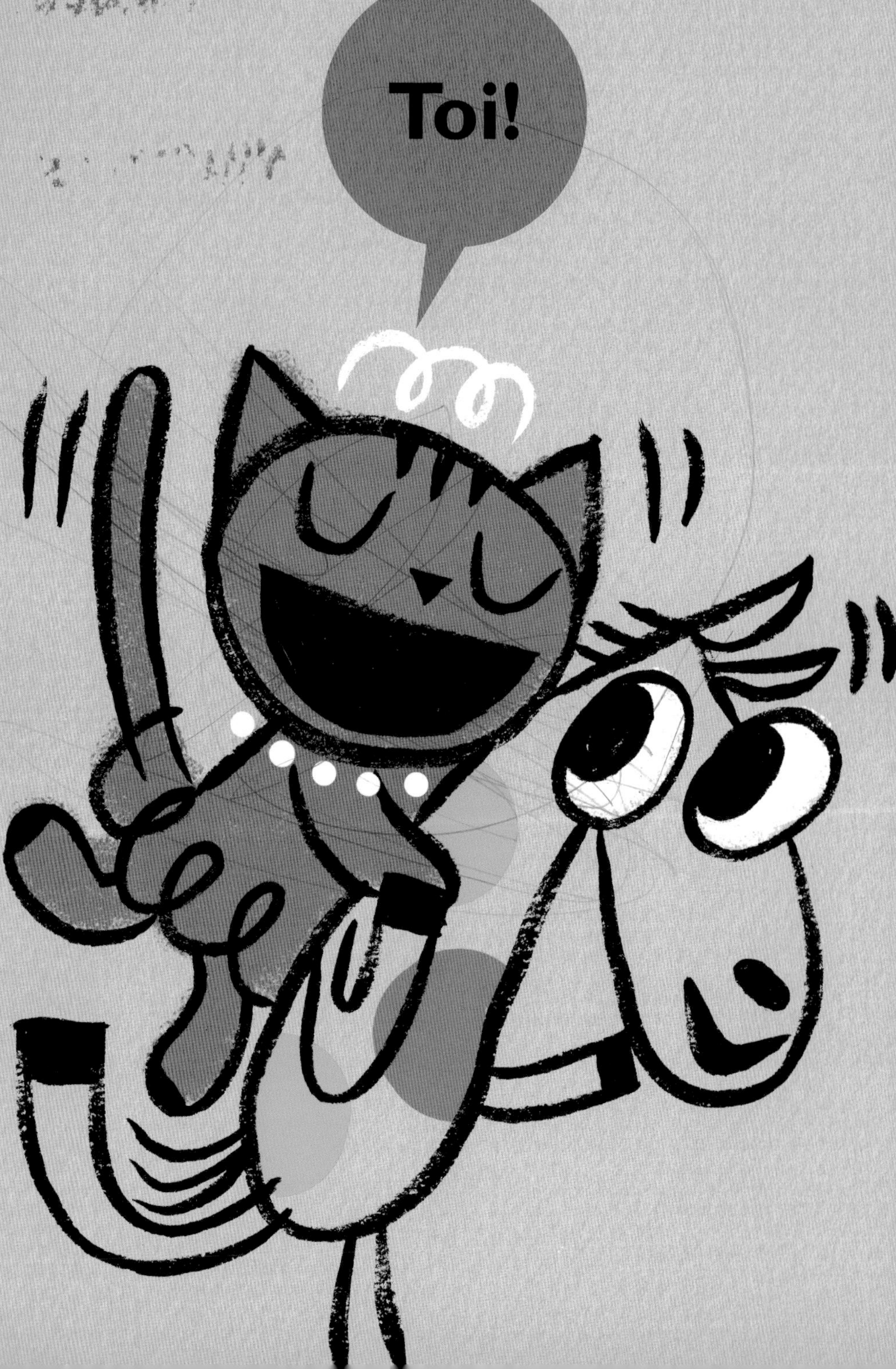
Toi!